ORDRE MAÇONNIQUE ORIENTAL DE MISRAÏM
POUR LA FRANCE.

ÉLOGE
ET
DISCOURS FUNÈBRES

PRONONCÉS PAR LE TRÈS-PUISSANT FRÈRE

J. T. HAYÈRE,

Supérieur Grand Conservateur honoraire de l'Ordre,
Grand Commandeur des Chevaliers défenseurs de la Maçonnerie ;

ET PAR LE TRÈS-PUISSANT FRÈRE

GIRAULT,

Grand Président du S∴ Grand Conseil Général,
Commandeur des Chevaliers défenseurs de la Maçonnerie ;

EN TENUE SOLENNELLE DE DEUIL DANS LA CÉRÉMONIE

CONSACRÉE A LA MÉMOIRE DU TRÈS-ILLUSTRE GRAND-MAÎTRE DU GRAND ORIENT
DE FRANCE

SON EXCELLENCE LE MARÉCHAL MAGNAN

le xxe∴ j∴ du ive m∴ anno lucis 0005869 =
20e jour du mois de juin 1865, ère vulgaire.

PARIS,

IMPRIMERIE DE E. MARTINET,

RUE MIGNON, 2.

1865

RITE ORIENTAL DE MISRAÏM

POUR LA FRANCE.

Le Souverain Grand Conseil Général des Grands-Maîtres *ad vitam* du 90ᵉ et dernier degré, Puissance Suprême de l'Ordre Maçonnique Oriental de Misraïm pour la France, voulant donner une fois encore une preuve nouvelle et irrécusable des sentiments d'estime, de haute considération et de confraternité dont les vrais Misraïmites sont animés pour tous leurs frères en libre et franche maçonnerie, croit ne pouvoir mieux faire que de voter à l'unanimité l'impression des éloge et discours funèbres prononcés, en tenue solennelle de deuil, dans la cérémonie consacrée à la mémoire du Très-Illustre Grand-Maître du Grand Orient de France, Son Exc. le maréchal Magnan, le 20ᵉ jour du 4ᵉ mois anno lucis 0005869 = 20 juin 1865.

Fait et voté en séance du Souverain Grand Conseil Général, le 23 juin 1865, à la vallée de Paris.

Signé :

J. T. HAYERE, Supérieur Grand Conservateur honoraire ;
GIRAULT, Grand Président du S∴ G∴ C∴ G∴ ;
......, premier Grand Examinateur ;
BONNAUD, deuxième Grand Examinateur ;
LEGROS, Grand Trésorier ;
P. COULY, Grand Chancelier ;
CARQUIN, Grand Orateur ;
OSSELIN, Grand Garde des sceaux ;
A. SCHLEPPY, Grand-Maître des Cérémonies ;
LAFRA, Grand Éléémosinaire ;
ISNARD, Grand Secrétaire général.

G∴ A∴ T∴ P∴

SALUT SUR TOUS LES POINTS DU TRIANGLE !
RESPECT A TOUS LES RITES LÉGALEMENT INSTITUÉS !

TTT∴ CCC∴ FFF∴

En honorant publiquement devant vous la mémoire de l'illustre Grand-Maître que le Grand Orient de France vient de perdre, le Supérieur Grand Conservateur honoraire, pour la France, de l'Ordre maçonnique oriental de Misraïm, a voulu témoigner, une fois de plus, combien les sentiments de confraternité sont profonds et sincères dans le cœur des vrais Misraïmites.

Ainsi que l'a dit avec tant d'éloquence notre Supérieure Grande-Maîtresse honoraire, l'illustre Sœur Marie Plocq de Bertier,

 « L'on doit apprendre à vivre en consultant la mort ! »

A quoi servirait la mort, en effet, mes Très-Chers Frères,

si elle ne servait à éclairer et à rendre meilleurs ceux qui restent ?

C'est cette pensée qui m'a animé devant la tombe du maréchal Magnan ; c'est cette pensée qui m'anime encore dans cette tenue solennelle de deuil.

Plus l'homme est éprouvé, plus il doit grandir devant l'injustice ou devant le malheur; plus un Rite, plus un Ordre est méconnu, plus il doit se montrer digne.

Homme, j'ai été frappé par ceux que j'avais soutenus et aimés ; je leur pardonne, comme le Rite de Misraïm pardonne et oublie le peu d'égards fraternels dont le Grand Orient a fait preuve quelquefois envers lui.

La vérité ne doit jamais se taire ; elle sert à l'histoire ; et lorsque la vérité parle comme elle parlera sans cesse par ma voix, c'est-à-dire sans irritation et sans haine, elle doit toujours être entendue.

Loin de moi donc la pensée, mes Très-Chers Frères, de soulever ici une polémique quelconque; loin de moi la pensée de faire entendre des récriminations ou des plaintes; je ne veux exprimer que des regrets ; et si la dignité dont je suis revêtu m'impose le devoir de dire à quelques membres du Grand Orient : — Avez-vous toujours été justes pour nous? Avez-vous toujours apprécié, comme elles méritaient peut-être de l'être, les marques de haute considération et de sentiments maçonniques que le Rite de Misraïm s'est plu tant de fois à vous donner? — je leur dis aussi, à cette heure de douleur qui, j'en ai le ferme espoir, sera l'heure d'une mutuelle estime et d'un attachement éternel entre tous les véritables maçons, je suis heureux d'ajouter, dis-je ; Frères du Grand Orient de France, votre affliction est la nôtre, nous comprenons la perte que vous venez de faire, et nos larmes se mêlent à vos larmes.

Le monde profane n'estime point assez à leur haute valeur les grades maçonniques ; il ignore ce qu'ils imposent de dévouement et d'abnégation personnelle ; il ne sait pas à quel point la mort d'un Grand-Maître est chose grave et douloureuse pour un Rite ; et il passe, par suite, indifférent devant ce qui nous touche le plus au cœur, devant ce qui a un intérêt immense. Oui, qu'on ne s'y trompe pas, la mort du chef d'un Rite touche à des intérêts majeurs, à des intérêts de premier ordre. La maçonnerie bien comprise est l'âme de la charité humaine, et de l'élan que lui donnent ses chefs peut découler une source d'inépuisables bienfaits.

J'ai eu la faveur de voir, sur son invitation, le maréchal Magnan à une époque qui marquera dans les annales maçonniques. Les idées de fusion étaient alors en vogue, et l'illustre maréchal, habitué à vaincre, avait cru facilement à la réalisation de projets dont je ne conteste pas la grandeur, mais dont je ne pouvais admettre le succès. Je défendis les droits de Misraïm qui m'avaient été confiés, je les défendis avec déférence, mais avec fermeté, comme saurait les défendre, en circonstances semblables, l'honoré Président que vous venez d'entendre, et auquel revient aujourd'hui, à tant de titres, la première place parmi les chefs militants de notre Ordre vénéré. Dire que le maréchal Grand-Maître reconnut tout d'abord combien étaient fondés les droits que j'avais mission de défendre serait sans doute trop m'avancer ; mais ce qu'il m'est permis d'assurer, ce que je ne saurais oublier, c'est la mâle urbanité avec laquelle j'ai été reçu, c'est le respect qu'avait le maréchal pour qui se faisait un point d'honneur de remplir son devoir.

Joignez-vous donc à moi, enfants de Misraïm, pour rendre hommage à l'homme qui, engagé volontaire à une époque de gloire et de périls, avait su s'élever aux premiers rangs dans les jours de calme et de prospérité.

Joignez-vous à moi, enfants de Misraïm, pour rendre hommage au Grand-Maître que la volonté du Souverain, aussi bien que celle de ses Frères en libre et franche maçonnerie, avait placé à la tête d'un des Ordres maçonniques les plus puissants du globe, et que nos vœux l'accompagnent!

Et vous, Chers Frères du Grand Orient de France, vous qui, après avoir perdu l'une de nos premières illustrations militaires, confiez de nouveau vos destinées à l'un de nos généraux les plus dignes et les plus braves, recevez, une fois encore, les assurances de l'affectueux dévouement que professent pour vous et pour votre Rite des hommes qui, s'ils ne sacrifient jamais la dignité et l'indépendance de l'Ordre auquel ils s'enorgueillissent d'appartenir, ne font que suivre les impulsions de leur cœur lorsqu'ils prient le Tout-Puissant pour les vôtres et pour vous.

All∴ all∴ all∴

J. T. HAYÈRE∴

S∴ G∴ C∴ H∴ de l'O∴

Vallée de Paris, 20 juin 1865. E∴ V∴

G∴ A∴ T∴ P∴

SALUT SUR TOUS LES POINTS DU TRIANGLE !
RESPECT A L'ORDRE !

TTT∴ CCC∴ FFF∴

Les hommes qui survivent s'honorent en honorant les hommes qui ne sont plus. Comme Président du Souverain Grand Conseil Général, puissance suprême de l'Ordre de Misraïm, je viens donc honorer la mémoire du Grand-Maître du Grand Orient de France.

Bien que divisée par son administration et par certaines formes cérémoniales, la franc-maçonnerie est une ; les principes des trois Rites reconnus en France sont les mêmes ; chacun concourt au bien de l'humanité, et, à ce titre, la douleur de l'un devient aisément la douleur de l'autre. Unissons-nous donc, mes TTT∴ CCC∴ FFF∴, pour prouver à nos Frères du Grand Orient que, comme vient de le dire notre Grand Chancelier, le Rite de Misraïm s'est imposé la loi de ne le céder à personne en dignité, en délicatesse et en esprit des convenances.

Le Grand-Maître du Grand Orient de France laissera un nom dans les annales de ce Rite : il a été nommé dans des moments difficiles, et l'on doit lui rendre cette justice qu'il a su se montrer à la hauteur de sa tâche.

Mais avant de parler du maçon, laissez-moi, mes

TTT∴ CCC∴ FFF∴, vous dire quelques mots du soldat maréchal auquel avait été confié le commandement de l'armée de Paris.

Nous étions en plein premier Empire; l'épopée guerrière se développait dans toute sa grandeur, et tout ce qui avait en soi l'amour du pays et l'amour de la guerre se rangeait alors sous les drapeaux : le maréchal Magnan fut de ce nombre.

Engagé volontaire en 1809, c'est-à-dire dès l'âge de dix-huit ans, Magnan eut pour parrains au baptême de feu deux hommes dont le nom seul indique la bravoure : il servit sous Ney et Masséna, et il était de ceux qui défendaient à Pampeune le drapeau de la France.

A vingt-trois ans on le vit à Waterloo, et 1830 le trouvait colonel et commandant de la Légion d'honneur en Afrique.

Un acte du colonel Magnan à Lyon, acte trop connu pour que nous ayons à le rappeler ici, et que le maréchal Soult voulut punir sévèrement comme faute disciplinaire, mais que nous appellerons, nous, un élan d'humanité, le fit partir pour la Belgique, d'où il ne revint en France qu'en 1839, pour y recevoir le grade de général de brigade.

Il portait les insignes de général de division lorsqu'en 1848 il avait l'honneur d'accompagner la duchesse d'Orléans à la Chambre des députés; et son dévouement à la cause du 2 décembre l'élevait à l'apogée de sa gloire : il en faisait un maréchal de France.

Si belle que puisse être la carrière militaire que je viens d'esquisser devant vous, mes TTT∴ CCC∴ FFF∴, c'est surtout comme maçon que le maréchal Magnan m'inspire.

Nommé, grâce à la volonté de son Souverain, à la première dignité maçonnique du Grand Orient de France, le maréchal Magnan pouvait administrer en maître et diriger le Grand Orient du haut de toute sa puissance. Mais, reconnaissant la nature éminemment civile, éminemment populaire de l'institution de la maçonnerie; comprenant l'importance morale de la mission qui était confiée à ses soins, et si honoré qu'il eût été du choix dont il avait été l'objet de la part du chef suprême de la France, il voulut tout devoir au vote libre et raisonné de ses Frères en maçonnerie, et il donna sa démission de Grand-Maître par voie de décret impérial, pour ne l'être que par droit d'élection.

Tout d'abord, il est vrai, le maréchal Magnan avait cru pouvoir commander aux maçons comme l'on commande à des hommes rangés sous la discipline militaire; il avait la pensée qu'il suffisait d'un mot pour opérer la fusion des trois Rites, et il ne fallut rien moins que la noble et énergique protestation des représentants fondés de pouvoir des Rites Écossais et de Misraïm pour lui faire comprendre qu'il est des prérogatives et des droits que l'on doit tenir à honneur de défendre plutôt que d'attaquer. Mais enfin, une fois éclairé, le maréchal Grand-Maître sut dignement respecter les droits acquis, et notre Supérieur Grand-Conservateur honoraire le P∴ F∴ Hayère, qui a eu l'honneur de sauvegarder notre indépendance, va lui rendre à cet égard l'hommage qui lui est dû.

Le maréchal Magnan fit plus que respecter les droits consacrés par le temps et par la justice, il sut s'entourer de chefs adjoints, de conseillers aussi remarquables par leurs lumières maçonniques que par leur dévouement, et on l'a vu ainsi faire souvent prévaloir la justice là où des idées préconçues et un dangereux entraînement allaient sans doute l'emporter. Ces faits suffisent pour mériter à la grande maîtrise du maréchal Magnan la reconnaissance de tous les vrais maçons, et pour donner à la tenue funèbre qui lui est consacrée la majesté qu'elle comporte.

Honorons donc la mémoire du maréchal Magnan, mes TTT∴ CCC∴ FFF∴, prions pour le Grand-Maître qui n'est plus, et que les batteries de deuil que nous allons faire entendre disent au monde profane aussi bien qu'au monde maçonnique quels sont les sentiments de confraternité dont les disciples de Misraïm se trouvent et se trouveront toujours animés.

All∴ all∴ all∴

GIRAULT,
G∴ P∴ du S∴ G∴ C∴ G∴

Vallée de Paris, 20 juin 1865. E∴ V∴

Paris. — Imprimerie de E. MARTINET, rue Mignon, 2.

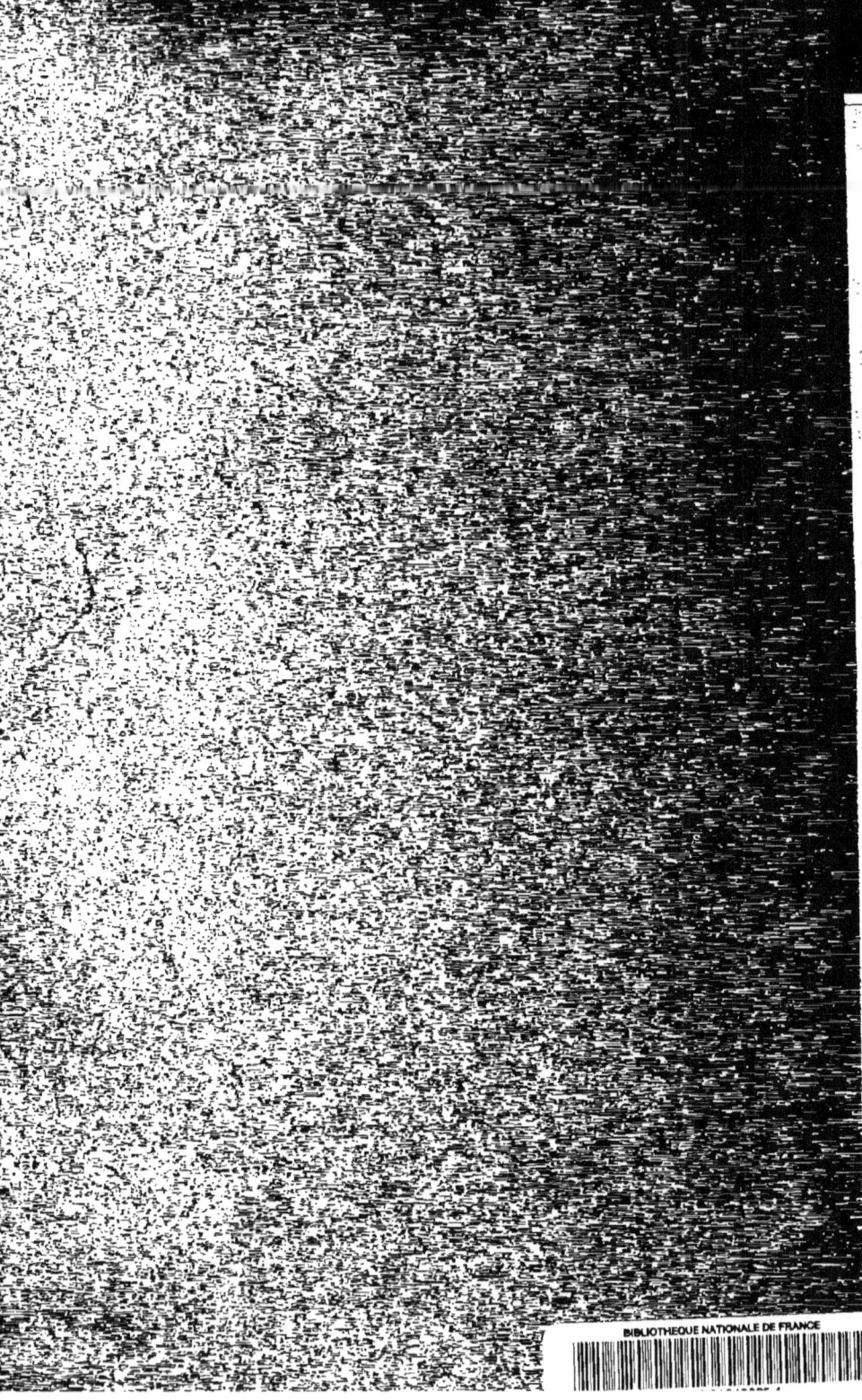

www.ingramcontent.com/pod-product-compliance
Lightning Source LLC
Chambersburg PA
CBHW071434060426
42450CB00009BA/2171